De grote boze wolf

Leonie Kooiker
Tekeningen van Egbert Koopmans

Zwijsen

Oude kleren gaan gauw kapot

'Mam, mama!
Mogen we met de kleren?'
'Nee,' zegt mama.
'Waarom nou niet?'
'Omdat je er een bende van maakt.
De laatste keer was er een rok gescheurd.
Een jurk was vuil.
Er was een knoop van een broek.'
'Die knoop zat los.'
'Ik weet het,' zegt mama.
Het zijn oude kleren, Evie.
Ze gaan gauw kapot.
Daarom moet je er zuinig op zijn.
Jullie gingen de straat op.
Rennen, vliegen, schreeuwen en wild doen.
Daar kunnen oude kleren niet tegen.
Daarom mag het niet.'
'We zullen heel rustig zijn, mama.'
'O ja, hoe lang?
Een kwartier, een half uur en je vergeet het.'
Evie wordt een beetje boos.
Ze zegt: 'Wanneer mag het dan wel?
Zeker nooit.
Maar die kleren zijn wel voor ons.
Oma heeft het zelf gezegd.'

Mama begrijpt haar wel.
Daarom zegt ze: ‘Luister, Evie.
Je mag met de kleren aan spelen,
Als je er een verhaal voor maakt.
Zoals: je bent een mevrouw.
Een mevrouw op hoge hakken.
Of in een lange jurk.
Wat je maar wilt.
Je gaat een boodschap doen.
Noa is het meisje bij de kassa.
Eerst verzin je precies wat er gebeurt.
Dan de zinnen die jullie gaan zeggen.
Je speelt het een paar keer.
En pas daarna trek je de kleren aan.
Dan wordt het echt toneel.
Wij mogen kijken.
Misschien komt oma ook!’
Evie moet eens goed denken.
Een verhaal maken?
Kan ze dat wel?
Nou, maar een mevrouw wil ze niet zijn.
Een prinses, dat wel.
Ze gaat naar haar zus.
‘Noa, als ik een verhaal bedenk.
Doe jij dan mee?
Ik ben de prinses.
Wat wil jij zijn?’

Noa weet het meteen.
'Een enge heks,' zegt ze.
'Goed.'
En wat nu?
Best moeilijk, een verhaal maken.
Noa zegt: 'Ik weet het al.
Ik tover jou om in een muis.
Of in een vet konijn.

Hoe vind je dat?'
'Nee hoor,' zegt Evie.
'Dat probeer je wel.
Maar het lukt niet.
Ik verdwaal in het bos.
En de jager brengt me weer naar huis.
Maar eerst komt de heks en dan …
Ik bedenk het straks.'

Evie verzint een verhaal

Evie gaat op de schommel.
Dan is het net of ze vliegt.
Als ze vliegt, kan ze beter denken.
Het was een goed idee.
De heks in het bos.
Maar alleen een prinses en een heks is niks.
Linda en Pien moeten ook meedoen.
Er zijn genoeg kleren in oma's koffer.
Linda is Evie's vriendin.
En Pien is een vriendin van Noa.
Linda kan goed huilen.
Daarom is ze de moeder van de prinses.
Die huilt, omdat ze haar kind kwijt is.
En dan is Pien de jager.
Of zou Bas de jager zijn?
Nee, Evie wil niet dat Bas meedoet.
Want jongens zijn altijd wild.
En wild mag niet, heeft mama gezegd.
Pien met een pet over haar haar.
Dan kan het best.
Ik ben al bijna klaar, denkt Evie.
Ze springt van de schommel.
'Noa! Noa, kom je?
We gaan vast de kleren pakken.
Ik weet al wat ik aantrek.

Linda en Pien mogen ook meedoen.'
'Hoe gaat het verhaal?' vraagt Noa.
'O, dat is nog niet af.'
'Je moet eerst een tekst schrijven,' zegt Noa.
'Wat is een tekst?'
'Alle woorden die we moeten zeggen.
Het verhaal moet echt klaar zijn.'
Evie kan al schrijven, maar een tekst?
Alle woorden die ze moeten zeggen ...
Veel te moeilijk, dat kan ze niet.
'Ik help je wel,' zegt Noa,
'We doen het samen.'

‘Oké,’ zegt Evie, ‘Nu ben ik de prinses.
Schrijf jij het maar op.’
De prinses wandelt rond in de kamer.
Ze zegt: ‘O, wat een mooie bloemen.’
Ze doet net of ze bloemen plukt.
‘Kijk, daar zijn er nog meer.
Noa, nou ga ik steeds verder het bos in.
Dan kom ik bij de heks.
Maar pas na een hele tijd.
Moet ik dan almaar door praten?’
‘Nee hoor.’
Noa wil wel schrijven, maar niet zo veel.
Ze zegt: ‘Praat nu eens met de heks.’
‘Jij bent toch de heks.’
‘Ja, ik zeg: ‘Kom maar binnen, lief meisje.’
‘O ja, en dan zeg ik:
“Dat mag ik niet van mijn moeder, mevrouw.”
En jij zegt: “Wil je wat drinken of iets lekkers?
Ik heb taart met bessen en ik heb ook drop.”
“Ja, graag een dropje, mevrouw.”
Staat nou alles op dat briefje, Noa?’
‘Nee, dat duurt te lang,’ zegt Noa,
‘Ik onthoud het wel.’

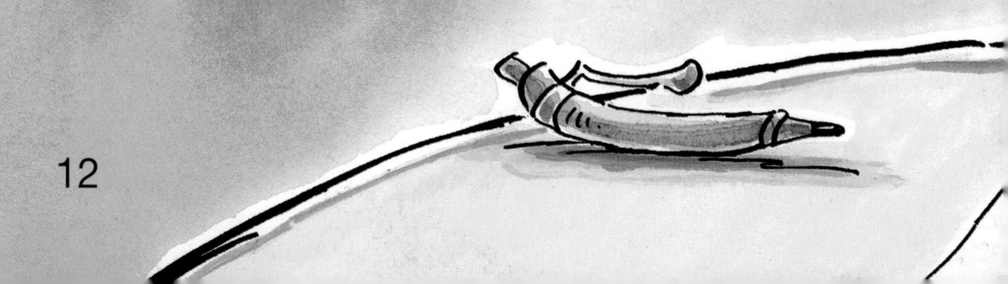

Bas mag niet meedoen

Het wordt een leuk verhaal.
De prinses gaat naar binnen bij de heks.
Die is eerst heel aardig,
Maar dan vraagt ze:
'Help je even met de afwas?'
'Lief meisje, wil je de vloer vegen?'
'Wil je de pap roeren?'
'Hang de was aan de lijn.'
Ze moet blijven van de heks.
Ze mag niet meer naar huis.
Daar zit haar moeder te huilen.
'O, o, mijn kind is weg.
Wat is er met haar gebeurd?'
En dan komt de jager.
'Stil maar, mevrouw.
Ik ga naar het bos.
Ik zoek net zo lang tot ik haar vind.
En mijn geweer neem ik mee.
Als ik een rover zie of de grote boze wolf …
Pang, die is er geweest.'
'O lieve jager, raak mijn kind niet.'
'Komt in orde, mevrouw.'
'Ja,' zegt Evie, 'zo doen we het.
En die jager, schiet hij de heks dan dood?'
'Nee hoor,' zegt Noa.

‘Hij dreigt alleen.’
‘Goed, nu gaan we naar Pien en Linda.’

Noa en Evie gaan eerst naar Linda
Linda wil best Evie's moeder zijn.
Ze heeft alle kleren wel eens gezien.
'Mag ik dan die lange jurk aan?'
'Ja, en dan moet je huilen, Linda.'
Ze vinden het knap dat Linda dat kan.
Als ze expres huilt, komen er echte tranen.
Niemand anders uit de klas kan dat.
'Goed,' zegt Linda.
'Dat doe ik wel even.'
Dan gaan ze naar Pien.
'Pien, we mogen met de kleren.
Doe je mee?
Wij hebben al een verhaal bedacht.
Met een prinses en een heks.
Wil jij dan de jager zijn?'
'Ik ben de jager,' zegt Bas.
Bas is de broer van Pien.
Hij wil ook meedoen.
'Vrouwen kunnen geen jager zijn,' zegt Bas.
'Jagers zijn mannen, altijd.'
'Jij bent nog niet eens man,' zegt Evie.
'En we doen het niet met jongens.
Pien kan best voor jager spelen.
Jij mag komen kijken, als het klaar is.'
'Alleen maar meiden?' zegt Bas.
'Dan kom ik niet, niks aan.'

Linda en Pien gaan met Evie en Noa mee.
Ze gaan eerst het stuk een keer spelen.
Dan passen ze de kleren.
De jurk van de prinses is roze met glitters.
De lange jurk van de moeder is veel te groot.
Maar dat geeft niet.
Linda hijst hem op, en doet er een riem omheen.
Noa wil de gekke, spitse schoenen aan.
En een lang, zwart vest.
Juist goed voor de heks.
Pien vindt een groene broek.
Maar er is geen geweer.
'Ik weet er wel een,' zegt Pien.
'Bij het oude speelgoed van Bas.'
Dus nu zijn ze klaar.

De grote boze wolf

Het gordijn moet dicht en de tafel opzij.
Er hangt een lap over de rand.
De tafel is het huisje van de heks.
De stoelen staan op een rij.
Daar zit het publiek.
Drie moeders, één vader en een oma.
Pien komt binnen.
Ze rinkelt met een bel.
Ze roept heel hard: 'Het stuk begint!
Het heet: "De prinses verdwaalt."
Dit is het bos.'
Het publiek begint vast hard te klappen.
Het gaat heel goed.
Evie doet alsof ze bloemen plukt.
Au, daar zit een roos die prikt.
Noa struikelt met haar gekke schoenen.
Maar dat is juist grappig.
Als de moeder echt gaat huilen,
komt er weer een applaus.
Dan houdt Linda haar armen om haar hoofd.
Haar rug schokt op en neer.
Ze moet juist heel erg hard lachen.
Nu dwaalt de jager in het bos.
Hij komt bij het huisje van de heks.
En dan gebeurt er iets, wat niemand verwacht.

De deur gaat open en: ‘WHOEAHH!
WHOEAHH!
Hier is de grote boze wolf!’
Het is Bas, maar dat kun je niet zien.
Hij heeft een masker.
De kop van een wolf.
Hij heeft een bruine deken om zich heen
Hij stampt en hij brult:
‘Ik eet jullie op!’
Hij pakt het geweer van de jager af.
Hij zwaait ermee en hij roept:
‘Ik sla de jager op zijn kop!
Ik verscheur de prinses!
En ik kluif op die taaie, ouwe heks!’
Hij grijpt Noa bij een arm en dan zegt hij:
‘Zo zo, oudje!
Wat heb jij gedaan?
Jij hebt dit meisje kruiden gevoerd.
Daar ga je scheef van in je hoofd.
Dat kind weet niet meer wie ze is.
Dat ze een prinses is, waar ze woont …
Ze weet niks.
En jij weet het zelf ook niet, hè?
Dat je haar oma bent.
Dat weet je niet eens,
Want je eet zelf ook elke dag kruiden.
Het is maar goed dat ik hier ben.

Nou komt het toch nog goed.'
Bas trekt het masker van zijn hoofd.
Hij maakt een buiging naar het publiek.
'Ik ben dus de prins,' zegt hij.
'Ik heb de prinses gered.
En haar oma ook.'
De spelers zijn boos.
Maar het publiek niet.
De moeders, de vader en de oma.

Ze klappen, klappen, klappen.
Ze denken dat het zo hoort.
En dan lachen de meisjes er maar om.
Pien zegt: ‘Wat ben ik blij.
Ik heb mijn kind weer terug.
Prinses, pas op!
Dat je nooit meer verdwaalt.’
Maar de prinses zegt: ‘Het was juist goed.
Anders had ik nu geen oma gehad.’
En dan moeten ze alle vijf buigen.
Net als een echt toneel.

Zonnetjes bij kern 8 van Veilig leren lezen

1. Beer zonder Baas
Isabel Versteeg en Imra Ruifrok

2. Hokus pokus
Dirk Nielandt en Bregje van den Berg

3. De grote boze wolf
Leonie Kooiker en Egbert Koopmans